Zygmunt Krauze

Małe wariacje na fortepian
Little Variations for Piano

POLSKIE WYDAWNICTWO MUZYCZNE SA
KRAKÓW 2014
PWM 11 389

Siedem wariacji opartych jest na temacie skomponowanym jedynie z siedmiu dźwięków, i tylko owe siedem dźwięków występuje w całym utworze. Zastosowane są one we wszystkich rejestrach fortepianu, od najwyższego do najniższego, co wzmaga ekspresję i różnicuje kolorystycznie poszczególne utwory. Każdy z nich utrzymany jest w innym charakterze: pierwszy symbolizuje ucieczkę, jakby pośpieszny bieg, drugi jest wesoły, dowcipny, nastrój trzeciego można określić jako ciężki, z czwartego emanuje boleść, płaczliwość, piąty jest skoczny i żartobliwy, szósty przypomina marsz, zaś ostatni – zamyka cykl galopującymi triolami.

Seven variations based on a theme composed from only seven notes, and only these seven notes are present in the whole work. They are used in all registers of the piano, from the highest to the lowest, which enhances the expression and colouristically distinguishes individual numbers. Each of these has a different character: the first symbolises an escape, like a hurried run, the second is jolly, witty, the mood of the third can be described as heavy, the fourth exudes pain, crying, the fifth is lively and humorous, the sixth recalls a march, and the last – closes the cycle with galloping triplets.

Zygmunt Krauze
Translated by *Lindsay Davidson*

MAŁE WARIACJE na fortepian
LITTLE VARIATIONS for Piano

ZYGMUNT KRAUZE
(*1938)

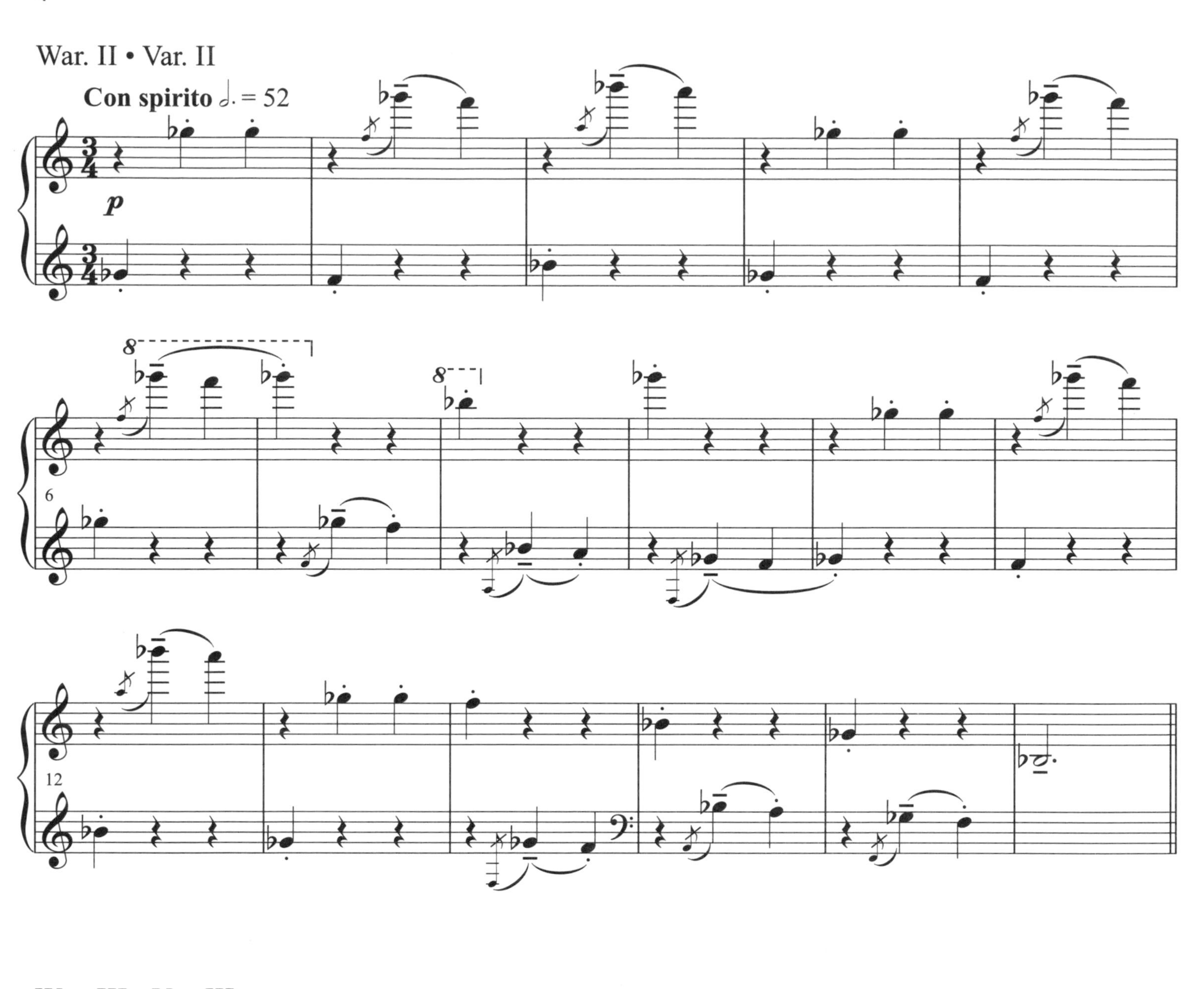

War. III • Var. III

ff
diminuendo
mf
mp
p
pp
War. IV • Var. IV
Dolente ♩ = 69
p
mf
p
Ped.
mf
f
p
pp
rit.
attaca

War. VI • Var. VI

War. VII • Var. VII

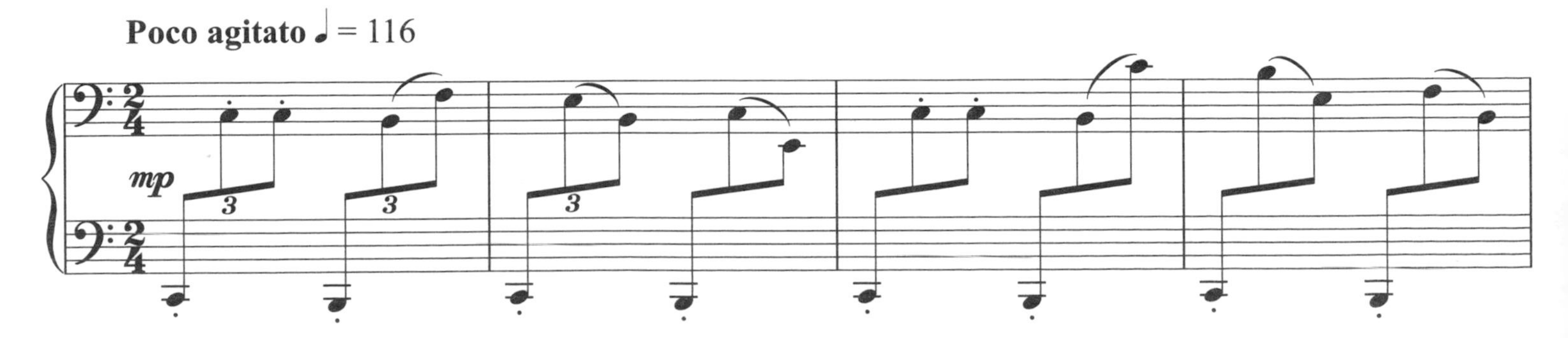

(sierpień 1958)

Projekt okładki • Cover design by Marcin Bruchnalski

Redaktor • Edited by Sylwia Macura
Skład komputerowy nut i redakcja techniczna • Computer music typesetting and technical layout by Bogusław Sowiński

Polskie Wydawnictwo Muzyczne SA, al. Krasińskiego 11a, 31-111 Kraków.
www.pwm.com.pl
Wyd. I. Printed in Poland 2014. Pracownia Poligraficzna „Grafit", ul. Przybyszewskiego 28, 30-130 Kraków.

ISMN 979-0-2740-0896-3